KB075956

계절과 감정의 교향곡

지은이 가람빛

부크크

가람빛 시인 소개

안녕하세요, 저는 사람들의 마음속에 따뜻한 감성을 불어넣는 시를 쓰는 시인이에요. 자연의 아름다움과 일상의 소소한 순간들을 시로 풀어내며, 독자들과 감정을 나누고 소통하는 것을 사랑해요.
저는 봄, 여름, 가을, 겨울의 사계절 속에서 희노애락을 담아내고, 눈 내리는 밤, 따뜻한 차 한잔, 겨울의 빛, 여름의 밤하늘 등 다양한 주제를 통해 독자들에게 깊은 인상을 남기고자 해요. 저의 시는 일상 속의 소중한 순간들을 되새기며, 독자들에게 잔잔한 위로와 따뜻한 감동을 전하고 있어요.
독자들이 좋아할 만한 저의 시들은 자연 속에서 느낄 수 있는 아름다움과 평온함을 중심으로 구성되어 있으며, 감성적인 표현과 깊이 있는 메시지를 통해 독자들의 마음을 사로잡고 있어요.
 제가 쓴 시들은 여러분의 일상에 작은 휴식과 위로를 줄 수 있기를 바래요.
여러분과 함께 시를 통해 소통하며, 공감과 감동을 나눌 수 있는 시간이 되기를 기대해요. 앞으로도 많은 사랑과 관심 부탁드려요.
감사합니다.

목차

목차

프롤로그

안녕하세요, 시인의 세계로 여러분을 초대합니다.
이 시집은 자연의 아름다움과 일상의 소소한
순간들을 담아낸 시들로 가득 차 있어요. 봄, 여름,
가을, 겨울의 사계절을 배경으로 한 희노애락의
감정들, 눈 내리는 밤의 고요함, 따뜻한 차 한잔의
위로, 겨울의 빛 속에서 느끼는 평온함,
여름 밤하늘의 신비로움을 통해 여러분과 깊은
감동을 나누고자 해요.
저는 일상 속에서 흔히 지나칠 수 있는 순간들을
시로 풀어내며, 여러분의 마음에 작은 울림을 주고
싶어요. 이 시집은 자연과 일상에서 얻은 영감을
바탕으로, 독자 여러분께 잔잔한 위로와 따뜻한
감동을 전하는 것을 목표로 하고 있어요.
독자들이 공감할 수 있는 감성적인 표현과 깊이
있는 메시지를 통해, 여러분의 일상에 작은 휴식과
위로를 주기를 바래요. 시를 통해 마음의 여유를
찾고, 자연과 삶의 아름다움을 새롭게 발견할 수
있기를 바래요.
이 시집이 여러분의 삶에 작은 등불이 되어,
바쁜 일상 속에서도 따뜻한 감성을 잃지 않게
해주기를 바래요. 시를 통해 여러분과 소통하며,
공감과 감동을 나눌 수 있는 시간이 되기를 기대해
요. 감사합니다.

I. 나는 어느새 어르신이
    되어 있었다

그 언제였을까, 젊음이란 시간은
바람에 실려오던 꽃향기 같았네.
희망으로 가득 찬 새벽의 이슬처럼,
잠시 머물다 사라지는 순간이었네.

잔잔한 미소 머금은 주름 사이로
한때 나를 불렀던 이름들이 스쳐가고,
반짝이던 별빛 같던 나의 꿈들은
저 멀리 희미해진 기억 속에 남아 있네.

세월의 강을 따라 흘러온 나그네,
이제는 조용히 쉴 언덕을 만났구나.
어느새 나도 모르는 사이에 가을이 와
한 잎 두 잎 추억을 물들이고 있었네.

저물어 가는 해를 바라보며 생각해,
지나온 날들이 주는 달콤한 슬픔에.
나는 어느새 어르신이 되어 있었지만,
마음속 깊은 곳엔 여전히 봄이 피어있네.

2. 바람의 소리를 들어 봐

사라락 사라락, 나직한 속삭임,
잎새들이 춤추는 소리 들리니?
햇살은 눈부시고, 그늘은 시원해,
온 우주가 숨 쉬는 소리를 들어 봐.

바람이 노래하는, 숲의 조용한 노래,
꽃들이 고개 숙여, 경청하는 모습.
푸른 하늘 아래, 뭉게구름이 흘러,
바람이 전하는, 자연의 이야기.

몸을 맡기고서, 눈을 감아 봐,
온 세상이 속삭이는, 바람의 언어.
은은하게 퍼지는, 바람의 멜로디,
마음을 열고, 귀 기울이면 들려와.

뭐라고 하니? 바람이,
희망의 메시지를, 손짓으로 전해.
누구나 안고 있는, 꿈과 마음을,
바람이 노래해, 사라락 사라락.

3. 일상속 작은 행복

커피 한 모금의 따스함에
창가에 스미는 햇살의 포근함에
소소한 일상 속 작은 기쁨을 느끼며

버스 창밖 흘러가는 풍경 속에
가끔은 스쳐 지나가는
낯선 이의 미소에 마음이 따뜻해

흔들리는 잎사귀 소리에 귀 기울이고
산들바람에 휘날리는 머리카락에
가벼운 웃음이 떠오르는 그런 날

작은 감사가 모여 큰 행복이 되고
평범한 순간들이 모여
온전한 '나'를 만들어 갑니다

일상의 작은 기쁨에 감사할 수 있는
그 마음이 바로 힐링이니까요

4. 건강의 길

매일을 건강하게, 걸음마다 소중히
재촉하는 발길은 목표를 향해 뚜벅뚜벅
바닥과의 조화를 이루는 발걸음
몸이 원하는 그 평화로운 리듬에 맞춰
길 위를 걸으며, 마음을 다독이며
건강한 삶을 하나씩 쌓아가고 있어요
걸음걸음마다 건강을 실천하며

5. 봄의 서곡

따스한 봄바람이 살랑이고
겨울잠에서 깨어난 꽃봉오리들이
하나둘 씩 눈을 뜨며
긴 겨울의 잠에서 깨어난 대지 위로
새 생명의 속삭임이 퍼져나가요

햇살이 무뎌진 얼음을 녹이고
새싹들이 흙 속에서 기지개를 켜며
모든 것이 새로움으로 가득 차
봄의 서곡이 조용히 연주되기 시작해요

맑은 하늘 아래 봄비가 부드럽게 내려와
땅을 촉촉이 적시고
만물이 생기를 되찾으며
새로운 계절의 시작을 알려요

6. 봄날의 향연

봄날의 향연 속에 발길 닿는 곳마다 꽃잔치,
화려한 색동옷을 입은 나무 아래
사람들의 웃음소리가 꽃처럼 피어나고
어디서나 살랑이는 봄바람에 실려 온 행복

연분홍 벚꽃 아래 두런두런 이야기꽃
노란 개나리 길을 따라 활짝 열린 웃음꽃
파란 하늘, 흰 구름, 따뜻한 햇살 속에서
봄의 정취에 취해 춤추는 마음들

한가로운 오후, 봄기운에 젖은 공원에서
꽃구경하며 경쾌하게 거닐고
봄이 선사한 이 순간의 기쁨에
모두가 함께 눈을 맞추며 봄을 즐겨요

7. 하늘 위의 봄 축제

봄 하늘을 수놓은 새들의 축제
가지마다 노래하는 작은 기쁨으로
흥겨운 리듬에 날갯짓하는 즐거움
꽃향기 따라 흩날리는 자유로운 영혼들

날아올라 봄바람을 타고 나부끼는
새들의 목소리, 꽃잎 위로 춤추는 음표
맑은 공기 속을 가르며
봄의 향연에 취해 하늘을 그리다

햇살 아래, 나무마다 축제의 장
풍성한 노랫소리로 봄을 노래하고
하늘 높이, 자유롭게, 행복하게
새들도 봄의 축복을 함께 누리네

8. 봄의 속삭임

봄바람에 실려오는 부드러운 속삭임
새벽이슬 위로, 꽃잎마다 머무는 찬란함
새들의 노랫소리, 투명한 아침 공기를 가르며
한 줄기 빛으로, 잠에서 깨어나는 자연의 소리

흙내음 가득한 길을 걷노라면
살며시 내민 봄의 손길이 뺨을 스치고
골목마다, 나무마다, 숨 쉬는 생명마다
살포시 깨어나는 삶의 이야기, 봄의 속삭임

햇살 좋은 오후, 잔디 위에 누워
하늘을 바라보며, 느긋이 귀 기울이면
흐르는 구름 사이로 들려오는
그윽한 봄의 말, 싱그러움으로 가득 차오르네

9. 봄바람의 노래

은은한 봄바람이
꽃밭을 스치며 노래를 불러요
새 생명의 탄생을
살랑이는 리듬에 실어 전해요

잠들었던 대지의 가슴이
따스한 바람결에 두근거리며
오랜 꿈에서 깨어나
햇살을 품에 안아요

봄바람의 노래는 산들산들,
나뭇가지를 흔들며
잊혀진 계절의 기억을
흩날리는 벚꽃처럼 되살려요

가슴 속 깊은 곳
숨겨둔 이야기들이
봄바람의 선율에 실려
하나둘씩 피어나는 거예요

그대도 들어보세요
이 밤, 창가에 속삭이는
봄바람의 노래를
가슴 깊은 곳으로부터 울려오는
사랑과 희망의 멜로디를

10. 봄의 향기

봄바람이 불어와
향기로운 꽃잎이 흩날리며
따스한 햇살이 비추는
봄의 향기가 퍼져갑니다

봄의 향기는
새싹이 돋아나는 땅에서
꽃들이 피어나는 나무에서
새들의 노래가 울려 퍼지는 곳에서

봄의 향기는
마음을 따뜻하게 만들어주고
기분을 상쾌하게 만들어주며
희망과 기쁨을 안겨줍니다

봄의 향기는
우리 곁에 머물며
삶에 아름다움을 선사하고
행복한 순간들을 만들어줍니다

봄의 향기는
우리 모두에게
희망과 사랑, 그리고 행복을 전하는
봄의 선물입니다

II. 봄의 춤

봄이 춤을 추는 곳,
바람이 부는 길목에서,
꽃들이 피어나는 곳에서,
봄이 춤을 추고 있어요.

봄이 춤을 추는 곳,
햇살이 비추는 곳에서,
새들이 노래하는 곳에서,
봄이 춤을 추고 있어요.

봄이 춤을 추는 곳,
나뭇잎이 흔들리는 곳에서,
봄이 춤을 추고 있어요.

봄이 춤을 추는 곳,
우리 마음 속에서,
봄이 춤을 추고 있어요.

봄이 춤을 추는 곳,
우리 모두 함께,
봄이 춤을 추고 있어요.

12. 봄나무 아래서

봄바람이 부는 날,
나는 봄나무 아래서
꽃잎이 흩날리는 모습을 바라보며
봄의 향기를 맡아요.

봄나무 아래서
나는 봄의 노래를 듣고,
봄의 향기를 느끼며,
봄의 아름다움을 만끽해요.

봄나무 아래서
나는 봄의 따뜻함을 느끼고,
봄의 희망을 느끼며,
봄의 기쁨을 느껴요.

봄나무 아래서
나는 봄의 아름다움을 만끽하며,
봄의 향기를 맡으며,
봄의 아름다움을 느껴요.

봄나무 아래서
나는 봄의 아름다움을 만끽하며,
봄의 향기를 맡으며,
봄의 아름다움을 느껴요.

13. 봄비의 멜로디

봄비가 내리네, 부드럽게
땅 위로 가볍게 떨어지는 물방울들.
창밖에 서서 귀 기울이면
고요한 멜로디가 들려오네.

빗방울 하나하나가 연주하는
자연의 음악, 잔잔한 선율.
새싹을 깨우는 그 소리에
대지는 생명을 품어 안네.

빗줄기 속에 담긴 이야기들,
겨울의 끝자락을 씻어내고,
새로운 시작을 알리는 소리,
봄비의 멜로디는 희망을 속삭이네.

젖은 나뭇잎, 반짝이는 이슬,
꽃망울은 그 소리에 고개를 들고.
봄비가 전하는 따스한 위로에
모든 생명이 다시 깨어나네.

흙내음 가득한 공기를 마시며
우리는 그 멜로디에 마음을 맡기네.
복잡한 생각들도 빗물에 씻겨
맑고 투명한 마음이 되네.

봄비의 멜로디는 끝없이 이어지며
우리의 일상에 잔잔한 울림을 주네.
그 소리에 귀 기울이며,
오늘도 평화로운 하루를 시작하네.

14. 여름의 노래

여름의 노래가 울려 퍼지는 곳,
햇빛이 내리쬐는 해변에서,
파도 소리와 함께 춤추는 곳,
여름의 노래가 울려 퍼지는 곳,

여름의 노래가 울려 퍼지는 곳,
나무 그늘 아래에서,
바람이 부는 소리, 새들의 노래,
여름의 노래가 울려 퍼지는 곳,

여름의 노래가 울려 퍼지는 곳,
여름의 향기와 함께,
여름의 아름다움과 함께,
여름의 노래가 울려 퍼지는 곳,

여름의 노래가 울려 퍼지는 곳,
여름의 추억과 함께,
여름의 행복과 함께,
여름의 노래가 울려 퍼지는 곳,

여름의 노래가 울려 퍼지는 곳,
여름의 아름다움과 함께,
여름의 행복과 함께,
여름의 노래가 울려 퍼지는 곳.

15. 해변의 향기

해변의 향기가 나를 부르네,
파도 소리와 함께 춤추는 곳,
햇빛에 반짝이는 모래사장,
해변의 향기가 나를 부르네,

해변의 향기가 나를 부르네,
바다의 푸른 물결이 춤추는 곳,
갈매기의 울음소리가 울려 퍼지는 곳,
해변의 향기가 나를 부르네,

해변의 향기가 나를 부르네,
여름의 추억과 함께 춤추는 곳,
해변의 향기가 나를 부르네,
해변의 향기가 나를 부르네.

해변의 향기가 나를 부르네,
해변의 아름다움과 함께 춤추는 곳,
해변의 향기가 나를 부르네,
해변의 향기가 나를 부르네.

해변의 향기가 나를 부르네,
해변의 추억과 함께 춤추는 곳,
해변의 향기가 나를 부르네,
해변의 향기가 나를 부르네.

해변의 향기가 나를 부르네,
해변의 아름다움과 함께 춤추는 곳,
해변의 향기가 나를 부르네,
해변의 향기가 나를 부르네.

16. 태양 아래서

태양 아래서,
한 줄기 빛이 나를 감싸네.
봄의 싱그러움, 새싹의 푸름이
희망의 노래를 부르는 시간.

여름의 뜨거운 햇살,
강렬한 빛 속에서 피어난다.
뜨거운 열정, 땀방울 속에서
불타오르는 꿈을 찾아 헤매네.

17. 여름의 밤하늘

여름의 밤하늘은
별들로 수놓인 보석함이로다.
은하수가 흐르는 그 끝엔
우리 모두의 꿈이 담겨있다.

별들은 춤추며 빛나고,
달은 그 위에 희미한 빛을 뿌리고.
바람은 속삭임을 전하고,
잔잔한 파도 소리가 들리네.

밤하늘을 바라보며,
우리는 꿈을 꾸곤 한다.
그 고요한 어둠 속에서
마음은 자유롭게 펼쳐진다.

별들은 우리의 이야기를 듣고,
우리의 소망을 품어낸다.
달빛은 우리를 비추며
가장 소중한 순간을 만들어준다.

여름의 밤하늘은
사랑과 아름다움으로 가득차 있다.
그 끝엔 무한한 가능성이 놓여있고,
우리의 마음은 그 너머로 나아간다.

별들이 우리를 이끌어주고,
달빛이 우리를 비춰준다.
여름의 밤하늘은
우리에게 희망을 주는 것이다.

18. 파도의 춤

파도가 춤을 추네
바다의 음악에 맞춰
물결이 춤을 추네
바람의 노래에 맞춰

파도가 춤을 추네
해변의 모래사장에서
물결이 춤을 추네
바다의 깊은 곳에서

파도가 춤을 추네
바다의 아름다움에
물결이 춤을 추네
바다의 신비로움에

파도가 춤을 추네
바다의 자유로움에
물결이 춤을 추네
바다의 무한함에

19. 땀방울의 노래

땀방울이 노래한다
땀방울이 노래한다
땀방울이 노래한다
땀방울이 노래한다

땀방울이 노래한다
땀방울이 노래한다
땀방울이 노래한다
땀방울이 노래한다

땀방울이 노래한다
땀방울이 노래한다
땀방울이 노래한다
땀방울이 노래한다

땀방울이 노래한다
땀방울이 노래한다
땀방울이 노래한다
땀방울이 노래한다

20. 여름의 시간 여행

여름의 시간 여행에 오르다,
그 얇은 시간의 막을 헤치며.
뜨거운 햇살이 손끝을 감싸며,
시간의 강을 건너나간다.

어린 시절로 되돌아가,
목마름을 채울 시원한 시냇물 속으로.
젊은 날들의 소망과 꿈들이
휘날리며 내게로 다가온다.

여름의 향기로 가득한 숲속을 걷고,
잔디밭 위에 누워 구름을 바라보며.
행복한 순간들이 나를 감싸고,
시간을 헤쳐 나아간다.

노을빛에 물든 저녁의 나무 아래,
가족과 친구들과 함께한 추억들이
여름 밤의 별빛처럼 내게로 다가와,
시간을 뛰어넘는 여행을 떠난다.

고요한 밤하늘을 바라보며,
별들의 노래를 듣고,
어제와 오늘 사이를 헤매며,
여름의 시간 여행을 계속한다.

여름의 시간 여행은
내 안의 어린 아이와 만나는 것.
꿈을 따라 날아가고,
시간을 초월하여 끝없이 펼쳐지는 여행이다.

21. 단풍의 노래

단풍이 물들어 가는 숲길,
바람에 흩날리는 붉은 잎새.
가을의 속삭임, 자연의 찬가,
그 속에서 노래가 울려 퍼지네.

노란빛, 주황빛, 붉은빛의 향연,
하늘 아래서 춤추는 단풍잎.
그 소리는 가슴 깊이 울리고,
마음속에 따스한 불씨를 지피네.

추억이 깃든 나무 아래서,
어린 시절의 웃음이 떠오르네.
단풍잎을 밟으며 걸었던 길,
그 시절의 행복이 되살아나네.

시간이 흐르고 계절은 변해도,
단풍의 노래는 영원히 남으리.
가을이 오면 다시 찾아올 그날,
단풍의 노래는 계속되리.

단풍의 노래를 들으며,
희미해진 기억도 다시 피어나네.
붉게 물든 나무의 선율 속에,
마음은 따스하게 물들어 가네.

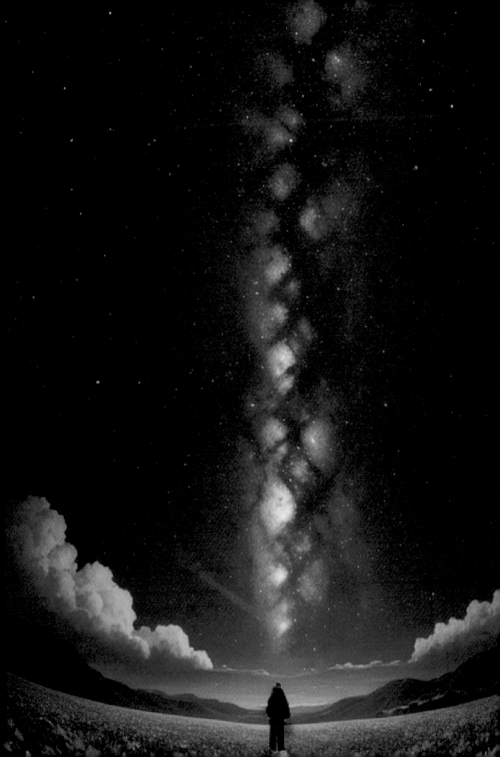

22. 바람의 속삭임

바람이 속삭여요
나뭇잎이 속삭여요
하늘이 속삭여요
바다가 속삭여요

바람이 속삭여요
꽃들이 속삭여요
구름이 속삭여요
별들이 속삭여요

바람이 속삭여요
세상이 속삭여요
마음이 속삭여요
영혼이 속삭여요

바람이 속삭여요
평화가 속삭여요
사랑이 속삭여요
행복이 속삭여요

23. 가을의 저녁 노을

가을의 저녁, 하늘은 물들고,
붉게 타오르는 노을빛.
서쪽 하늘 끝자락에 그려진
한 폭의 그림, 자연의 예술.

붉은 노을 아래, 고요한 풍경,
바람은 살며시 나뭇잎을 스치네.
황금 들판, 그 너머에 펼쳐진
저녁의 찬란한 순간들.

해는 천천히 기울고,
그 빛은 점점 사라지네.
짧지만 영원히 기억될,
가을의 저녁 노을 속 이야기.

그 빛 속에 담긴 추억들,
사랑과 이별, 기쁨과 슬픔.
모두가 노을 속에 녹아들어,
하늘에 새겨진 시간의 흔적.

가을의 저녁 노을을 바라보며,
마음은 한없이 넓어지네.
자연의 장엄함 앞에 서서,
삶의 아름다움을 느끼네.

가을의 저녁, 그 노을빛 아래서,
모든 것이 평화로워지네.
붉은 빛의 따스함을 품으며,
오늘도 내일도, 그 노을을 기억하리.

24. 가을비

가을비가 내리면
은은한 향기가 퍼져요
가을비는 조용히 내려와
땅을 적셔요

가을비는 부드럽게 내려와
나뭇잎을 적셔요
가을비는 차분하게 내려와
마음을 적셔요

가을비는 조용히 내려와
세상을 적셔요
가을비는 은은하게 내려와
가을을 적셔요

25. 가을의 달빛

가을의 달빛은
은은하게 비추며
가을의 밤을 밝혀줘
외로움을 달래줘

가을의 달빛은
고요한 밤을 밝혀주며
가을의 정취를 느끼게 해줘
마음을 따뜻하게 해줘

가을의 달빛은
가을의 밤을 아름답게 만들어줘
가을의 정취를 느끼게 해줘
가을의 추억을 떠올리게 해줘

가을의 달빛은
가을의 밤을 아름답게 만들어줘
가을의 정취를 느끼게 해줘
가을의 추억을 떠올리게 해줘

26. 가을 낙엽의 노래

가을이 찾아오면,
낙엽은 저마다의 이야기를 품고
바람에 실려 노래하네.
붉고 노란 빛깔로 물들어
세상에 마지막 인사를 전하네.

길가에 수북히 쌓인 낙엽,
바삭바삭한 소리를 내며
아이들의 웃음 속에 춤추고,
추억의 한 페이지를 넘기네.

낙엽의 노래는 바람 타고,
멀리멀리 퍼져 나가네.
나무 아래 쌓인 기억들,
낙엽 한 장에 새겨진 시간들.

그 소리는 고요하지만,
마음 깊이 스며들어
가슴 속 깊은 곳에 울림을 주네.
삶의 순간들을 돌아보게 하는
가을 낙엽의 잔잔한 선율.

떨어진 낙엽은 죽음을 노래하지 않네.
오히려 새 생명을 준비하듯,
겨울의 차가운 품 속에서도
다시 피어날 봄을 꿈꾸네.

가을 낙엽의 노래를 들으며,
우리는 인생의 계절을 생각하네.
끝과 시작이 맞닿는 그 순간,
낙엽은 우리에게 속삭이네.

"모든 것은 흘러가고,
새로운 시작이 다가온다."

27. 눈의 속삭임

눈이 내리면
세상이 하얗게 변해
조용한 속삭임이 들려와
눈의 속삭임이 들려와

눈이 내리면
나무 위에 쌓여
아름다운 풍경이 펼쳐져
눈의 속삭임이 들려와

눈이 내리면
마음이 따뜻해져
눈의 속삭임이 들려와
눈의 속삭임이 들려와

눈이 내리면
세상이 하얗게 변해
조용한 속삭임이 들려와
눈의 속삭임이 들려와

28. 찬바람의 노래

찬바람이 불어오면,
세상은 그 소리에 귀 기울이네.
얼어붙은 나뭇가지 사이로
서늘한 속삭임이 퍼지네.

겨울의 문턱에서 맞이하는
차가운 바람의 노래,
그 선율은 맑고도 투명하여
마음 깊은 곳을 울리네.

찬바람은 지나간 계절의 흔적을
살며시 지우며 다가오네.
남겨진 낙엽, 발끝에 맴돌며
가을의 끝자락을 쓸어내리네.

바람의 손길에 눈꽃이 피고,
하얀 세상이 펼쳐지네.
얼어붙은 대지 위를 스치는
찬바람의 노래는 고요하네.

그 차가운 음률 속에서도
따뜻한 기억들이 떠오르네.
포근한 이불 속의 온기,
따뜻한 차 한 잔의 여유.

찬바람의 노래는
삶의 쉼표가 되어
잠시 멈추어 숨 고르게 하네.
긴 겨울 밤, 별빛 아래서
마음의 평온을 찾아가네.

찬바람의 노래를 들으며,
우리는 다시 꿈꾸네.
차가운 계절 너머의 봄을,
새로운 시작을 향한 희망을.

29. 눈 내리는 밤

고요한 밤, 창밖을 보니,
하얀 눈이 소리 없이 내리네.
별빛조차도 숨죽인 채,
세상은 하얀 꿈 속에 잠기네.

눈송이는 하나하나 춤추며,
어둠을 밝히는 작은 별이 되네.
차가운 공기 속에 퍼지는
순수한 빛의 향연.

눈 내리는 밤, 그 속에서
기억 속에 잠든 이야기가 깨어나네.
첫눈의 설렘, 그리운 얼굴들,
따스한 미소가 떠오르네.

발자국 하나 없는 순백의 길,
걸음마다 새겨지는 순간들.
그 위에 남긴 우리 이야기,
시간도 잊은 채 흘러가네.

눈 내리는 밤, 그 고요함 속에
마음은 평온함을 찾네.
차가운 바람 속에서도 느껴지는
따스한 온기의 품.

이 밤이 지나면
세상은 또 다른 모습으로 깨어나리.
하지만 오늘 밤, 이 순간은
영원히 기억되리.

눈 내리는 밤, 그 속에서
우리는 꿈을 꾸네.
하얀 세상 속에서 피어나는
희망과 사랑의 이야기.

30. 겨울의 풍경

겨울이 오면
하얀 눈이 내려와
세상을 아름답게 만들어
겨울의 풍경이 펼쳐져

나무 위에 눈이 쌓여
하얀 꽃이 피어나
겨울의 풍경이 펼쳐져
겨울의 풍경이 펼쳐져

겨울이 오면
차가운 바람이 불어와
마음을 시리게 만들어
겨울의 풍경이 펼쳐져

겨울이 오면
하얀 눈이 내려와
세상을 아름답게 만들어
겨울의 풍경이 펼쳐져

31. 겨울의 정취

겨울의 정취는
하얀 눈으로 뒤덮인
세상의 고요함 속에
숨어있는 아름다움

겨울의 정취는
차가운 바람이 부는
하늘의 푸르름 속에
숨어있는 따뜻함

겨울의 정취는
하얀 눈이 내리는
마음의 평온함 속에
숨어있는 행복

겨울의 정취는
하얀 눈으로 뒤덮인
세상의 고요함 속에
숨어있는 아름다움

32. 따뜻한 차 한잔

고요한 오후, 창가에 앉아
따뜻한 차 한잔을 손에 들고,
천천히 피어오르는 김 속에서
마음의 평화를 찾네.

잔 속에 담긴 황금빛 물결,
그 안에 스며든 향기로운 시간.
한 모금 머금으면 퍼지는
은은한 향이 나를 감싸네.

바쁜 일상 속에서 잠시 멈추어
차 한잔의 여유를 느끼며,
잊고 지냈던 소중한 순간들을
다시금 떠올리네.

차와 함께 흐르는 대화,
따스한 웃음소리, 깊은 눈빛.
그 모든 것이 한 잔 속에 녹아들어
마음을 따뜻하게 데워주네.

겨울의 찬바람 속에서도,
차 한잔의 온기는 변함없네.
손끝에 전해지는 그 따스함이
마음까지 스며들어 포근해지네.

삶의 작은 쉼표가 되어주는
따뜻한 차 한잔,
그 속에서 우리는 평온을 찾고
다시 나아갈 힘을 얻네.

33. 눈꽃의 춤

눈꽃이 피어나면
하얀 춤이 시작돼
바람에 흩날리며
아름다운 춤을 추네

눈꽃이 춤을 추면
세상이 환해지며
마음이 따뜻해져
행복이 가득 차네

눈꽃이 춤을 추면
겨울의 정취가
마음에 스며들어
평화가 찾아와

눈꽃이 춤을 추면
세상이 환해지며
마음이 따뜻해져
행복이 가득 차네

34. 겨울의 빛

겨울의 차가운 아침,
눈부신 햇살이 내려앉네.
서리가 내린 창가 너머로
맑고 투명한 빛이 번지네.

하얀 눈 위를 비추는 햇살,
순수한 빛의 조각들이 춤추네.
차가운 공기 속에서도
따스함을 전하는 겨울의 빛.

얼어붙은 나뭇가지에 매달린
작은 얼음 결정들,
겨울의 빛을 받아 반짝이며
보석처럼 빛나네.

어둠 속에서도 사라지지 않는
별빛처럼 빛나는 그 빛,
밤하늘을 수놓는 별들의 이야기,
겨울밤의 고요함을 밝히네.

창밖을 바라보며 느끼는
겨울의 빛이 주는 위로,
그 빛 속에 담긴 따뜻한 기억들,
마음 한켠에 새겨지네.

겨울의 빛은 차갑지 않네,
오히려 깊은 평온을 주네.
그 빛을 따라 걷다 보면
마음 속 어둠도 사라지네.

겨울의 끝자락에서도
희망의 빛은 사라지지 않네.
새로운 시작을 알리는 그 빛,
겨울의 끝에서 봄을 기다리네.

35. 겨울의 기억

겨울의 차가운 바람이 불면,
기억은 서서히 피어오르네.
눈 내리던 그날의 고요함,
흰 세상 속에 남은 발자국들.

눈 덮인 거리, 조용한 골목,
따스한 불빛 아래 모여든 사람들.
기억 속 그 순간의 온기,
마음 속 깊이 남아 있네.

하얀 눈송이가 손끝에 닿으면,
어린 시절의 추억이 떠오르네.
눈싸움, 눈사람, 그리고 웃음소리,
순수한 행복이 담긴 시간들.

겨울밤, 창가에 앉아
뜨거운 코코아 한 잔을 마시며,
창밖을 바라보던 그때의 나.
별빛 아래 나눈 이야기들.

서로의 손을 꼭 잡고
차가운 길을 걸었던 기억,
얼어붙은 세상 속에서도
따스함을 나누던 순간들.

겨울의 기억은 차갑지만,
그 속에는 따스한 온기가 흐르네.
지나간 시간, 멀어진 날들,
그리움 속에 피어나는 미소.

계절은 바뀌고, 시간은 흐르지만
겨울의 기억은 잊혀지지 않네.
가슴 속 깊이 간직된 그 순간들,
언제나 내 마음을 따뜻하게 하네.

계절과 감정의 교향곡

발 행 | 2024년 5월 28일

저 자 | 가람빛

그 림 | Midjourney & 아숙업

펴낸이 | 한건희

펴낸곳 | 주식회사 부크크

출판사등록 | 2014.07.15(제2014-16호)

주 소 | 서울특별시 금천구 가산디지털1로 119
          SK트윈타워 A동 305호

전 화 | 1670-8316

이메일 | info@bookk.co.kr

ISBN | 979-11-410-8695-4

www.bookk.co.kr